D1831296

शब्दों का जीवन

शब्दों का जीवन

राजी सेठ

वाणी प्रकाशन

प्रकाशन के उत्कृष्टतम 61 वर्ष

सजिल्द पहला संस्करण : 2024

vaniprakashan.com

वाणी प्रकाशन

4695, 21-ए, दरियागंज, नयी दिल्ली-110 002

फ़ोन : +91 11 23273167, 23275710

शाखाएँ

अशोक राजपथ, पटना-800 004, बिहार

कॉफ़ी हाउस कैम्पस, महात्मा गांधी मार्ग, प्रयागराज-211 001, उत्तर प्रदेश

महात्मा गांधी अन्तरराष्ट्रीय हिन्दी विश्वविद्यालय, वर्धा-442 001, महाराष्ट्र

sales@vaniprakashan.in

vaniprakashan@gmail.com

Shabdon ka Jivan

by Rajee Seth

ISBN : 978-93-6287-109-1

Poetry Collection

© राजी सेठ

मूल्य : ₹ 400

इस पुस्तक के किसी भी अंश को किसी भी माध्यम में उपयोग करने के लिए प्रकाशक से लिखित अनुमति लेना अनिवार्य है।

थॉमसन प्रेस (इंडिया) लि. में मुद्रित

वाणी प्रकाशन का लोगो मक़बूल फ़िदा हुसेन की कूची से

अर्थों के उजाले
के हेतु
उज्ज्वला को!

अभिस्वीकृति

मेरे पिता **स्व. निरंजन नाथ सेठ** की यह प्रबल मंशा रही कि मेरी माँ **(राजी सेठ)** की यत्र-तत्र प्रकाशित कविताओं की किताब प्रकाशित हो, पर यह हो न सका। आज कविताओं के चार संग्रह (**शब्दों में पत्थर, अग्निगर्भा शब्द, शब्दों का जीवन** और **भीतर उतरने का उत्सव**) प्रत्यक्ष देखकर उल्लसित माँ और प्रतिछाया से देखते हर्षित पिता की अनन्य अनुभूति से मैं अभिभूत हूँ। उच्छ्वास का यह एहसास दिया है महात्मा गांधी अन्तरराष्ट्रीय हिन्दी विश्वविद्यालय, वर्धा के प्राक्तन प्रोफ़ेसर **डॉ. डी.एन. प्रसाद** ने; जिन्होंने पत्र-पत्रिकाओं में प्रकाशित कविताओं के साथ धूलभरी गठरी (files) में पड़ी सोयी कविताओं से धूल साफ़ कर चयन-सम्पादन के पुस्तक-प्रणयन सन्दर्भित सारे पूर्व विधान से मूर्त रूप दिया। डॉ. प्रसाद के बिना यह सब सम्भव न होता। उन्हें मेरा आत्मिक अभिवादन!

सुप्रसिद्ध चित्रकार श्री परमजीत सिंह जी का हृदय से आभार। उनकी कलाकृतियों ने पुस्तकों के आवरण को सार्थकता प्रदान की है।

इन चारों कविता-संग्रहों को एक साथ प्रकाशित कर वाणी प्रकाशन के स्वामी **श्री अरुण माहेश्वरी जी** हर्षित हैं। मैं उनको विशेष आभार व्यक्त कर अपने को गौरवान्वित महसूस कर रहा हूँ।

राहुल

4 अक्टूबर, 2024

+91-9958459221
rahulseth@yahoo.com

आरम्भिकी

अर्थों के उजाले हेतु चरैवेति-चरैवेति....

सबका एक जीवन होता है। प्राणीवान भऊ जितने भी पृथ्वीवान हैं, झ सबका एक जीवन है। 'दृश्यते अनेन इति दर्शनम्' के आधार पर लोचनानुभूति यह स्पष्ट करती है कि जितने भी प्राणीवान पृथ्वीवान हैं, सभी का एक जीवन होता है। परन्तु इसे अभिव्यक्तने के लिये जिह्वा को एक माध्यम चाहिए, वह माध्यम ही शब्द का शब्दायित होना होता है। अर्थात् वह शब्द ही है जिसके माध्यम से हम अनुभूति को अभिव्यक्त करते हैं, यहाँ जीवनानुभूति का शब्दों से कितना तादातम्य है! तब साफ होती है कि अनुभूति के अनुसार ही शब्द शब्दायित होते हैं अर्थात् शब्दों के भी अपने जीवन होते हैं- वे हँसते हैं, रोते हैं, मुस्कराते हैं, हमारे जीवन के अंगों के साथ विनयस्त होते हैं। शब्दों के इन्हीं जीवनोपयोगी व्यवहार ने अभिनय कला को सौन्दर्य प्रदान किया। तो काव्य-प्रसूता राजी सेठ शब्दों का जीवन कहती हैं तो कोई अतिशयोक्ति नहीं है। सृजन में शब्द ही भाव-भंगिमा, शोक-दुःख, हँसी-खुशी, उल्लास-भय और बोध की संवेदना शब्दिता में विन्यस्त होते हैं। यही तो है राजी सेठ का यह काव्य संग्रह **शब्दों का जीवन**!

जब जीवन की अर्थवान चुप्पी खुलती है तब मन का अन्तर्द्वन्द्व भयमुक्त हो जाता है। एक समय ऐसा आता है जब सम्वाद की सहोदरता की गहन अनुभूति होती है। यहीं पर मन का उच्छवास् उच्छवसित होता है—'कैसे मन-चीती बातें करें'! अपने ही प्रतिबिम्ब में समय का वरद-विरल-क्षण देखना धुंध-सा लगता है। यथा—

इतना क्षुब्ध व्यग्र वर्तमान
जिसमें सब जी रहे हैं
न जाने कैसा भविष्य
अनजाने बो रहे हैं

यह जीवन की वर्तमान त्रासदी है, फिर भी सर्जना के शब्द हारे-थके नहीं हैं; जीवन के साथ जीवंत भी हैं। ममता की स्त्री-चेतना पर राजी सेठ की कविता व्यक्त होती है—

अंतस् से आने वाला उत्सव का
लिखते वक्त ममता की संहिता
शब्दबद्ध किया था

'ममता की संहिता' एक नवीन बोध वात्सल्यता के हेतु! ऐसे में शब्दों का जीवन, जीवन के हर पहलू पर शब्दायित है—

अनन्त प्रवाह में
प्राचीर-सा उठकर
लकीर खींचने का यत्न
यह जीवन!

काव्य परिदृश्य में राजी जी का जीवन-बोध व्यापक है। प्रस्तुत काव्य संग्रह उनकी अभिव्यंजना से आप्लावित है—

कितना भ्रामक है ज्ञान
प्रकाश की आशा के अतिरिक्त भी हो सकती है
सुरंग के बाद सुरंग
अंधेरे के बाद फिर नया अंधेरा
अस्तु, अर्थों के उजाले हेतु चरैवेति-चरैवेति....

—डॉ. डी.एन. प्रसाद
वाराणसी

दो शब्द

प्रेम की अनुभूति में उत्तरोतरता देखी जा सके जिसका सम्बन्ध जीवन के उत्तरार्द्ध-पूर्वार्द्ध वय और जिजीविषा से देखा जा सके। यह भी समझा जा सके कि जीवन के उत्तरार्द्ध में mellowness निर्मलता, करुणा और पारदर्शीता क्यों जरूरी बन पड़ती है। इन दोनों छोरों के बीच के space में क्या है— क्या रहा, यह जीवनयोग की बात है। काव्य का परिबोध यहीं होता है!

— **राजी सेठ**

क्रमागत

मेरे जाने के बाद

मेरे न होने के बाद भी कोई सुन सकेगा
पवन से सुगन्ध की वही बात
जो तुमने कही, मैंने सुनी।
कोई जानेगा
पुष्प पराग निहित अस्फुट स्वर
और स्निग्ध किरण-स्पर्श ढरे
तुहिन-कण की बात
जो मैंने देखी, तुमने गही।

मेरे जाने के बाद भी कोई जानेगा
वही-सार्थक समर्थ चरित्रवान-
अभेद्य तिमिर की पीड़ा-प्रखर चौंध में जो जन्मा
पूरी प्रसव वेदना के साथ
जिसे तुमने दिया, मैंने लिया।

मेरे बाद क्या
क्या उसी तरह लिखे रहेंगे
कोरी भित्तियों पर अर्थों के शिलालेख
कोई इतिहासवेत्ता सुन सकेगा
वही, वही लय गान
जिसे उन खण्डहरों में तुमने गाया, मैंने सुना।

मेरे न होने के बाद
कभी, कोई तनिक ठिठकेगा
पुष्प-पाँख स्पर्श पूर्व, असावध मसल चुकने के बाद
कौन? हाँ, कौन,
सुरक्षित रखेगा अर्थों के शिलालेख
आकंठित लय गान
नीरव, गुण गूँगे स्वाद!

वही क्षण होना है

मुझे कण होना है
आरोह के समारम्भ की पहली कड़ी
के पहले शब्द का पहला अक्षर,
लय-गति की लीन मुद्रा में
डूब जाने को तत्पर होता हुआ
क्षण होना है
कोई प्रतिलिपि
प्रतिबिम्ब नहीं
कण होना है
बस वही क्षण होना है।

मेरा आकाश

आकाश!
आकाश यूँ तो किसी का घर नहीं होता
चाहने भर से
कोई उसे बाँहों में भर नहीं लेता
नहीं सकता, जितना सकता है
उतना, बस उतना
हर किसी का आकाश
जिसके खोने में व्यथा
जिसके पाने में विलास
मेरी व्यथा, मेरा विलास
मेरा आकाश!

मेरी सदी का आख्यान

मेरी सदी तक तो किसी स्त्री ने
उस हद तक
पहनी नहीं अपनी प्यास कि
निर्वस्त्र होना चाहे अपने आप
और कहे कि 'मुझे लो'
जैसे क्लियोपेट्रा ने सीज़र से कहा था

मेरी सदी तक तो माना गया
द्रौपदी का चीरहरण
जघन्य अत्याचार
राम को देख सीता को धरती पर लिखे
रावण के नाम पर
सरका देना हुआ पत्ता
कर्ण की माँ कुंती को छिपाना हुआ अपना सखा

मेरी सदी तक तो पुरुष माने गये
करते बलात्कार
भीड़ो में काटते जगह-कुजगह चुटकियाँ
सीत्कारते बजाते अभद्र सीटियाँ
दौड़ते रहे भैया सखियों के घर
छोड़ने अपनी भगिनियाँ
शरमाती रही माँ साधु सन्त को दरवाजा खोलते

दम्पति हँसते हुए निकल सके बाहर
अबोला अटल रहा दरवाजों के पीछे

इस नव-नकोर
झिलमिल घुलमिल समय
मेरी सदी का इतिहास
लिखते अपना आख्यान
टुकर-टुकर देख रहा
चकित
प्रश्नाहत
आगे क्या लिखेगी
आने वाली स्त्री की आत्मछवि!

वर्षगाँठ पर

इस लम्बी सहयात्रा में
गंध रची साड़ियों, गाउनों
सुगन्धित शैंपुओं, इत्रों, तेलों
मादक स्प्रेओं
असंख्य प्रसाधनों को भेंटते-भेंटते
जब तुम्हारी कल्पना थक गयी
दोहरा कर वैसा ही कुछ ले आना तुम्हें
अपनी क्रिएटिविटी में एक सवाल-सा लगा
तो तुम्हें अनायास जगा:
दो महकते गुलाब
आशीष-मुद्रा में बढ़े आने दो हाथ

सौरभ छटा इस द्वार पहली बार बौराई
पाने को चाहे
सुगन्धित वस्तुएँ ही सदा पाईं!

हमारे बिना

हम नहीं रहेंगे
यह पेड़ तब भी खड़े रहेंगे
गर्वोन्नत शिखरों के भाल
कनक-किरण स्पर्श से अरुणिम-स्वर्णिम होंगे
हिम-खण्ड उसी तरह पिघलेंगे
भोले-खग चहकेंगे
प्रकाश अंधेरा चीरेगा उसी तरह
सौरभ-सुत महकेंगे
नदी निर्झर फिर भी झरेंगे
उर्मिल लय के आरोह अवरोह पर
सागर-पग बहकेंगे....

हम रहेंगे
नहीं भी रहेंगे
यह सब, तब भी रहेंगे
झरेंगे, महकेंगे, बहकेंगे
अर्थ-वैभव के लिये
हमारे बिना
किन्तु, बहुत तरसेंगे, सहकेंगे।

....वह एक सपना ही था

होने को तो वह एक सपना था
सपने में
जीने का कटिबद्ध आतंक बाहर बह रहा था

एक घर
दहलीज़ पर जड़ा दरवाजा
बाहर ओटला न बरांडा
अन्दर चार प्राणी
कौन-कौन थे जिन्हें अचेतन ने
रक्षा के लिये मूर्तिमान किया होगा

बाहर छुरे वालों का आतंक
दरवाजा खुला नहीं कि
झपटेंगे
आर-पार कर देंगे

दरवाजा बन्द है
दरवाजे के पीछे दुबकना सच है
थरथराना सच है
अंधेरा सच है
साँस रोक रखना सच है
डर सच है
संगी साथी सच हैं
कहने को तो वह एक सपना ही था

तुम्हें ही न गढ़ लेता

कवि होने का दावा कभी नहीं
किया है
कुछ टूटे गद्य से लिखा है–
शिल्प होता तो....
तुम्हें ही न गढ़ लेता!

महोत्सव

कल ही
गणतन्त्र दिवस आयेगा
और चाहेगा कि
जितने भी फूल मुरझाए थे
काले धुँए की कड़ुवाहट से
एकाएक
आबाद हो जायें
अपना बालहठ छोड़कर

बिरवा बो दिया

अच्छा किया–
मैंने (तुमसे) कुछ भी नहीं कहा
तुम्हारे पक्के आँगन के कोने की
अपेक्षित मिट्टी पर/नन्हा-सा
बिरवा बो दिया।

वेदना परायी हुई

हर कथा हमने तुम्हारे लिये कही
फिर भी नहीं कही
हर व्यथा हमने अपने उद्धार के लिये लिखी
फिर भी नहीं लिखी

हर प्रसूत, प्रबल क्षण
हमारी वेदना सम्वेदना
हमसे जन्मी
झट हमसे परायी हुई
अनन्त विस्तार में अबाध पँख फैलाने
अर्थों की व्यापकता में समाहित होने को
अकुलाते
फड़फड़ाते
भौचक्क विस्मय से हम उसे देखा किए....

जाना है बहुत दूर

अभी तो
जाना है बहुत दूर
मैं रास्ते पर हूँ, मैं यात्रा में हूँ
खोज में हूँ
बहुत चलना है, यही मुझे ज्ञात
कहाँ जाना है, क्यों जाना है, नहीं विदित।
कहीं पहुँच कर–
शिखरों पर खड़े होकर
सभी पहिचानें होगी स्पष्ट
नदी, नाले, ताल
वीथी, गह्वर, पठार
चाहे छोटा हो जायेगा सब कुछ
पर कितना स्पष्ट निश्चित
अनुभव-बोध की दीठ से
देखे जा सकेंगे
सभी पड़ाव
पगडडियों पर छूटे सारे पदचिह्न!

एहसास

एहसास!
यूँ तो छोटा था इतना
मेरे
समूचे इतिहास से
आगे
चल निकला-कितना!

स्मृति

वह स्मृति
अंधेरे में
अकम्प लौ-सी
सोई हुई जागृति!

सारा-बोध

सारा-बोध
दर्द की तांत पर धुनकी रुई, के
पहाड़-सा बड़ा
और रुई
तार नहीं होती
तार-तार ऐंचा जायेगा अभी
रूपाकार के लिये
चीथा जायेगा जभी

.... इतना ही

तुम लौट कर आओ?
नहीं, मेरे लिये नहीं
मेरे न होने को झेल जाओ
इतना ही!

अर्थवान चुप्पी

कभी
दहाड़ती हुई
अर्थवान चुप्पी
कभी/आकाश
से
जोड़ देने वाले
प्रशस्ति गान

इस महानगर,
ने
जिसे भी मारा
अपनी जमीन
से
तोड़कर मारा

जीवन की रक्ताभा

माना
यह खोट मेरा था
मनुष्य को
मनुष्य की तरह
अनावृत, अनारोपित न सह पाना
तुम्हारा क्या कम रहा
अ-वर्ण सपनों की छलना से
जीवन की रक्ताभा
झुठलाना!

कितना छिन ली गयी हूँ

प्रात:
सोकर नहीं उठती
पूरी चेतनता से मेरे साथ

दिन
विभक्त नहीं होता
अपेक्षित क्षमता के अनुपात

सूर्यास्त
के बाद भी
दिन के चुक जाने का बोध नहीं होता
लम्बाती-व्यथा
कहीं कुछ छूट जाने की

किरण कौंधती रहती है
रात के
ठंडे घुप्प अन्त:प्रदेश में
दुबक जाने पर भी
तब
मैं जानती हूँ
पहिचानती हूँ
मैं तुम्हें कितना दे दी गयी हूँ
मैं अपने आपसे कितना छीन ली गयी हूँ

अंतर्द्वन्द्व

दुख-सुख
कब से
अपने-अपने
अलग-थलग थे
फिर भी जब तुमने रेखाएँ खींची
मन बेहिसाब अकुलाया
इन्द्रधनुष-सा उलाहने का पुल
बीचो-बीच
अनायास उग आया
दौड़े तुम भी
मैं भी थी
अपने को
अपने ही
छोरों पर
लौटा हुआ पर क्योंकर पाया!

प्रतिमान

क्यों हम
अपने को
अपने दिये
शब्दों अर्थों से जाने
अतर्कित पहिचान, के
चरम-प्रकाशित क्षण को
अभिव्यक्ति का
पूर्णतम प्रतिमान न मानें!

क्या तुम भी....

समीकरण हो सकता है
यह एक असम्भव इक्वेशन हो सकती है
पर मैंने चाहा है
हर बार
गणित की सम-संख्याओं की तरह
पूरे का पूरा बँट जाना
निमिष-शेष न रहना
एक पूरी विभक्ति
पूर्ण परिणति

पर
मेरी सारी अस्मिता
अभी भी व्याख्यायित नहीं होती
बच जाती
बिनधुले बालू-कणों की तरह
करकती, दरदराती

तुम!
क्या तुम भी इतनी ही अभिव्यक्ति
मेरे सम्पूर्ण की
या, मैं ही
विषम संख्याओं का अटूट कोई शाप!

व्यवहारिकी

समय की छेनी ने
घिस दीं
तराश दीं
सब नोकें
और काट दिये
उन
एहसासों के पाँव
जो अनुपाती और संगतियों का कारा तोड़कर
उभर लेते थे
और दे लेते थे
किन्हीं असम्भव-सी लगती इच्छाओं को
कुछ ऐसे आकार–
कि जीवन अपने से,
इस से
उस से
इन और उन क्षुद्रताओं से
ऊपर उठ सकता था
नये विश्वासों और अडिग आस्थाओं की
सघन चादर बुन सकता था
लगता था–
अनायास
माप सकता है सागर का फैलाव
उठा सकता है सन्नाटों में प्रलयंकर ज्वार

हिलाने को खूब कसमसाता है परम्परा की दीवारें
ललकार पाता है मूल्यों के मरणासन्न जमाव
गह सकता है
हर नये विश्वास का
सतरंगा इन्द्रधनुषी हाथ
एक हठीली-दुराग्रही क्षमता के साथ
क्योंकि
उसकी अनगढ़ सम्वेदना
निपट कुँवारी थी
काटी तराशी न थी
वह सदा
और सदा
उस भटकन की प्यासी थी
जो जीवन को जीवनभर नहीं
जीवन से अधिक देखें
अधिक जाने

....

अब जीवन
अनुपातों में बन्धी व्यवस्था
एक विशुद्ध संगति है
उसकी कोई नोक
अफज़ल खाँ के नख़ की तरह
समय का पेट नहीं बींधती
जिसका कोई कोण
अब कहीं असुविधा नहीं उपजाता
जिसकी आँख अब पैनी होकर
बेअसर मरहम से ढके
गीले घाव नहीं उघाड़ती
अब कहीं कोई

खील नहीं बिखरता
अब कभी
हर उदास फूल को
कोई सपना भेंटने का संकल्प
नहीं जगता
अब,
अब तो बस
एक मौन ज्वार
गर्भ में लीलता है
शब्द नहीं पाता
परत दर परत काटकर
कोई नया सत्य
उभरकर नहीं आता

अब जो भी है
संगत
अनुपात मय
सांसारिक है
विशुद्ध व्यवहारिक है।

तुमने नहीं

तुमने नहीं
तुम्हारे दिए नाम की छलना
ने
मुझे बाँध रखा है
कि
हर घड़ी
अपने आप
याद आती हूँ
हूक हुमस अपने को खाती हूँ
कि
खुल-खुल पड़ते है टाँके।

कैसे मन-चीती बातें करें!

बीत तो नहीं गयी तुम्हारे मेरे सम्बन्धों की
अंतरंगता
या सार्थकता
रीत नहीं गयी आत्मीयता
वही मन है उफ़नता
सपनीली कोरे
गरमाईयाँ
गहराईयाँ
वही आकाश को छूने का प्रयास
वहीं भर भर आती तृषित प्यास
वहीं सब अनकहे अनबोले
संकेत-संदेश
जो
तब से अब तक
आदि से वर्तमान तक
एक अक्षय निरन्तरता में
अपने को दोहराते रहे हैं
उसमें हर 'मैं' और 'तुम'
और
यह अनुभूति वृत
बार-बार
परिभाषित होता रहा है

फिर भी
आज
इन स्वीकृतियों से डर लगता है
इन्हें कहने दोहराने का
हर यत्न
कितना
हास्यास्पद लगता है
तुम तक आने में
हर बार
एक अपराधी-सा भाव जगता है
क्योंकि
हम सबको
निगल रहा है
इस नये दौर में
दहाड़ता
एक समवेत क्राइसिस–
उबकाइयों, भूखों और व्याधियों का
सैलाब
कुंठाएँ बेहिसाब,
कितना व्यग्र और क्षुधित यह वर्तमान है
जिसमें हम जी रहे हैं
कितना अनिश्चित भविष्य
जिसके बीज
बो रहे हैं,
इन अरक्षित आशंकाओं से
सब के सब
सहमे हुए
जुड़-जुड़ कर
चाहते हैं जीना
हर घड़ी
साथ-साथ बैठना

ऊब को
घूँटों में, ठहाकों में गटकना
फिर
कहाँ चले?
किधर अकेले बैठें?
किस सम्मोहन में डूबें?
कैसे मन-चीती बातें करें?
न जाने क्यों
लगता है
हम ही अकेले
छीन-झपट कर
चोरी से,
चतुराई से
कुछ अतिरिक्त ढिठाई से
छिप-छिप कर
जी रहे हैं
वह सब.... हमारे सामने-

बीत रहे हैं
रीत रहे हैं!
बस बीत रहे हैं!!

कभी तो कुछ बोले

सन्नाटे से कहो
कभी तो कुछ बोले

साँझ के चल निकलने के बाद
सुनी पगडंडियों
ढलानों पर
झिपती गिरती राका में
अपनी युगाबद्ध जटाएं खोले

कभी तो कुछ बोले

वह स्त्री

वह स्त्री है
तुम्हें रती-रती
बित्ता बित्ता भर लिखेगी
दर्पण दिखाकर
आहत् नहीं करेगी

प्रश्नाहत होना
तुम्हें गुस्से में बदलता है
अन्तर्यात्रा पर नहीं ले जाता

ज़मीन का जिक्र बेकार है

सोंधी जमीन
ज़मीन पर काठ के चार पाँव
इन पाँवों पर तख्त की देह
देह पर कुर्सी
कुर्सी पर आसीन तुम

मंच चाहिए था तो
ज़मीन का जिक्र बेकार है

स्त्री को देखती स्त्री

रंगोली
बन्दनवार
लाल परिधान
मेहंदी रचे हाथ
द्वाराचार के लिये तैयार
देहरी के उस पार खड़ी स्त्री ने
आती हुई स्त्री को देखा, ऐसे
जैसे एक पीढ़ी दूसरी पीढ़ी को देखती है
आमने-सामने
आशंकित
अवाक

सोचते हुए कि
दोनों में से कौन होगा
जो अधिक असन्तुष्ट होगा
और पहले हथियार उठायेगा

जानते हुये कि
कौन होगा जो जीतेगा
और कौन मात खायेगा

योद्धा की आस्था

आहत, लथपथ, युद्धरत
अपने संघर्ष का ध्वज
हाथ में लिये, व्यथित–
क्यों छिटकते जा रहे
पथयात्री एक-एक कर
गतिशील गाड़ी के गवाक्षों से दीखते
पेड़ों की तरह

अकेले होंगे, रहने
की पहिचान का साहस
और संयम
ही तो था
जिसे हर युद्ध की शुरूआत से
भी पहले पाला था
किस युद्ध में योद्धा की आस्था
लथपथ, अकेली नहीं लड़ी?
(अकेले जीवट से नहीं लड़ी)

अकेले जूझ सकने की आस्था का बल
साहस, संघर्ष, जीवट!

कर उगाहने का मौसम

फागुनी सवेरों को
खिड़कियों पर इठलाने मत दो
ढलती संध्याओं को
मीठी सुधियाँ गुदगुदाने मत दो
दोहराओ मत आज कोई प्यार का गीत,
फूलों को अपने सौरभ की साँसें
बिखराने मत दो
आज चन्दा को सूरज के उधार का हिसाब समझाने दो
कर उगाहने दो।

आज सृष्टि के क्रम का
मत कोई विवाद छेड़ो
जन्म-मरण, सुख-दुःख की न कोई बात छेड़ो
आज रोको, इन दिशाओं का चक्कर
आज आकाश को भू-पर उतर आने दो
युगों से
भुजाओं पर टिके रहने का हिसाब समझाने दो
कर उगाहने दो।

नादान हो प्रिय
रहने दो, बीमारे-मन की कोई बात
जीवन की कोई उलझन
सपनों की कोई याद

आज बीमार मुस्कराहटों को
खाटों के गिर्द मंडराने दो
आज हर रोगी को थककर
चुपचाप सो जाने दो
आज कहाँ है समय इन्हें देख पाने का
आज मौसम है केवल कर उगाहने का
तुम्हारे पीड़ित मन को,
जगत का क्रम त्रस्त दीखता है
मुझे वह 'टाईम बार्ड' समझाने में व्यस्त दीखता है

पड़ाव

क्यों
अब ऐसा होता है
पल्लू हाथ से सरकते-सरकते
छोर तक आ जाता है
पोर जिद्द नहीं करते थामने का
देह जिक्र नहीं करती विछोह का
प्रतीक्षा पास नहीं फटकती उलाहने की
बात चलकर आती है
खंजर की तरह
बादल बन जाती है बात
सफेद धुएँ के आच्छादन-सी
छूँछी!

चुपचाप

उन दिनों और
इन दिनों के बीच
कितने जड़ित इतिहास
कौन खोल सकता है उतनी अर्गपायें
दे सकता उतने साक्ष्य
बदहवास दौड़ती सड़कों पर कौन
उतना थमता पहिचान के लिये
कौन रोक सकता
सम्वेदनाओं को इतिहास बन जाने के लिये
कौन बाधित करता
इतिहास को भीतर घुस आने के लिये

यह जड़ित शिलित परतें
अनुसंधान के वसीले
खोद नहीं सकेगा इन्हें कोई तत्पर हाथ
कोंपलें उगेंगी कहीं-कहीं
पथरीली परतों दरीचों के बीच
बाकी सब भुगत
और खाद
और घटक
और उर्वरा बन
लहलहाने का कारण बना मिलेगा
चुपचाप!

सेतु

क्यों क्या यह अच्छा नहीं हुआ
मुट्ठियाँ खुल गयीं
स्वत्व के परत्व के बीज
फैल गये दिशाओं में
तुमने कहा–
तुम्हें भी दीखा था आकाश
क्षितिज के उस सिरे पर झुका
मुझे भी मिला था आकाश/मेरे सिर पर नमित
वही धनुषाकार सेतु क्षितिज
बीच में उसी
खुली सोंधी हवा का फैलाव
शून्य का नाद (नूपुर)
मुक्ति का आस्वाद
चलो! अच्छा हुआ
खुल गयी मुट्ठियाँ
बिखर गये बीज
स्वत्व के, परत्व के भेद वाले बीज

दायित्व

यों ही
बस यों ही
मैंने एक कंकड़ उछाला
और बिलबिलाती फिरी–
गोल झील की
अछोर देह पर
मेरी बाहों का, निर्वस्तार
कितना नगण्य
कितना छोटा-सा घेरा–
कि वर्तुल ठिठके रहें
द्रवित अंधेरे पर
आघातों को साधे
ध्यानस्थ छोरों से टकराने न जायें
न जायें
न जायें

मैंने देखा
पानी हिलने लगा था
और वतुर्ल
और वर्तुर्ल
और ....

अति परिचय

इस नगर में रोज़
इसी तरह तुम्हारे लिये भी
घिरा करती है शाम
उगा करता है सवेरा
इसी तरह इन चौराहों से आगे
खुला करतीं जानी पहचानी सड़कें
और रास्ते
और मोड़
और वृत्त
और भीतर बाहर का सब कुछ

कुछ भी तो ऐसा नहीं होता
जिसे दौड़ कर तुम तक ले जाने की उतावली
पंजों पर अधीर खड़ी
पपड़ियों की तड़कन के तले
कुछ नरमाए
कुछ हिले

सम्बन्ध

1
यों ही
मेरे पग भींग गये क्योंकि
मैं कगार पर
खड़ी थी
तुम्हारे अस्ति-प्रवाह को तो
आगे जाना ही था....

2
तुम एक कगार
थमा हुआ
मैं कगार की किरकिराती
अधीर
संयमित मिट्टी!

जीवन्त मोड़

रेल पटरियों की तरह
अलग-अलग
एक अन्तहीन दूरी तक
चलते-चलते
चलते-चलते
हम नियति के
मज़ाक पर हँसते रहे
सतत हँसते रहे

किस अजाने क्षण
कहाँ से छू दिया चेतन
झरना यों झरा बेबस
पिघलती हिमित व्यथा तरल
वर्षों की हँसी कितनी परायी लगी
करुणा जगी
यात्रान्त पर दीखे
इस जीवन्त मोड़ पर।

जीवन की बयार

हम
कब तक
अपने को
अपनी ही रची हुई संहिताओं के माध्यम से जानेंगे
अन्तसः अन्तर्मन को नहीं पहिचानेंगे

वही, बस वही
सब कलाओं की एक अकाट्य गवाही है
जीवन की बयार
वहीं से चलकर यहाँ तक आयी है

वह एक

अगणित व्यथाएँ असुँआती हैं
नाम नहीं पाती
काश! मेरी क्षमता
उसे
केवल उसे, ढूँढ पाती
जो मेरे नि:शब्द चुक जाने की
मूक साक्षी है

जब हमने समझा

जब हमने समझा
हमने तुम्हें पाया,
              तभी गँवाया
पाने तक-
बीहड़ ऊँचाईयाँ
श्वेत श्रम सीकर
पथ के लय भरे गीत
राह बिछी हरियाली
झर-झर झरने
घनी ठंडी छाँहें
नदियों के सिंचित द्रवित तट
खगों के मधुर सलोने गान
आकाश का, धरती की भुजाओं में बँधा
आतुर आप्लावित मन
मिलन-मुद्रा में तल्लीन रक्तारुण क्षितिज

लोभ लालसा भरे निमन्त्रण
कहीं पहुँचने की ललक
चाह भरी आशा
आस्था
लयान्वित प्राण
द्रुत पग
आतुर फड़कते हाथ

तन्मय गति
कगार लाँघता फेनिल नेह
प्रकाश का मोह
डूबने की चाह
विलय-कल्पना से स्पन्दित क्षण
वरण के स्वर्णछुए गंधित स्वप्न

ओह! कितना गँवाया
जब हमने समझा
तुम्हें सदा-सदा के लिये पाया

कल नहीं बिता

1
कल नहीं बीता
उलाहने देता रहा
दीवारों से चिपका इन्तज़ार
आँख चुराती
कोने में सजकर बैठी पाँखुरी
साँस लेती मिली
अगरबत्तियों की गंध
उसी
कुर्सी पर
उसी, उसी तरह
जमकर बैठा हुआ
हठीला दर्द
कल नहीं बीता!

2
नहीं फैली
नहीं बोली
कब
तन्तुओं तक
जीर्ण हो चुकी थी
मेरी झोली

अपने ही प्रतिबिम्ब

क्या तुम ही थे जो हार गये
मेरे कदम
जो तुमसे पार गये
वह मेरे भी तट हैं
नदी अभी भी बहती है
मेरे सामने
तुम्हारी होकर
अपने ही प्रतिबिम्ब
लौटते
मुझ तक
इतने बेगाने होकर

वरद-विरल-क्षण

मुझे अपेक्षित सब
तुम्हारे पास है
आप्लावित सम्वेदित मन
सधी हुई प्रज्ञा
रोमांचित देह-पल्ली को सूंघती
रस गंध की मनोहारी छुअन

यह सब
पाना
तुम्हारी तरह होना-सकना
और मैं
हर पल हर क्षण
अपनी तरह होने की
अवश, अडिग, शापित!
क्या नहीं/कहीं भी/कभी भी
क्या कोई ऐसा स्थल
तुम्हारे 'तुम'
मेरे 'मैं'
होने का
जहाँ, हो सकता हो अतिक्रमण
हो सके बड़ा
हम दोनों के होने से
कोई वरद-विरल-क्षण!

जो भीतर कहीं नहीं होता

समय की करतन में
एक उम्मीद बन्द है
भीतर उतावले हो चुके शब्द
छलक पड़ेंगे अनायास
देखना चाहेंगे मुझे दीखता आकाश
मुझे भासता क्रम
जो भीतर कहीं नहीं होता

न जाने कैसा भविष्य बो रहे हैं!

मुझे, तुमको ही नहीं
हम सबको चतुर्दिक निगल रहा
सघन, समवेत संकट
पल-पल आहत जिजीविषा
भूखों त्रासों का क्रन्दन
इतना क्षुब्ध व्यग्र वर्तमान
जिसमें सब जी रहे हैं
न जाने कैसा भविष्य
अनजाने बो रहे हैं!

वह क्षण

वह क्षण
जो उस दर्द की
पहिचान देते रहे
वहीं बस
अपने होकर रहे

खंड-खंड जाना

क्षण-क्षण जिया
बूँद-बूँद पिया
खंड-खंड जाना
        जब कभी जाना
        सत्य को इसी तरह
        मन की गुहा के ठिग
चुपचाप अकेला
अनायास पहिचाना
यह कौन
अनाहत अनियन्त्रित?
अखण्डित सत्य?
-टुकड़े बीनता है
भग्न मुकुट में
खंड-खंड अपने को चीन्हता है

बाप-बरगद-और-मैं

मेरी माँ
मेरे दुधमुँहे एहसासों को
बगलिया कर, थपथपाती
घुटनों से लगा मेरा सिर
और रोती, हूक-हूक
उस बरगद को
जो होता तो मेरे सर पर एक छत्र तो होता
मैं अनाथ न होता

अब
मेरे आंगन में
उस बरगद की
अनुपस्थित छाप
कहलाती रही मुझसे अपने आप
मुझे और अधिक छाया
मुझे और अधिक हरियाली
और घनी शीतलता में
                रुपान्तरित करो
मैं फैला और फैला
इतना फैला
कि अपने नीचे भी न देख सका
मेरे बाद के
वे सब

जो मेरी हरियाली में
शीतलता में
छाँह में बैठे थे

कब ताप की पवित्रता की बातें करते-करते
आगे चल निकले
मैं पीले पते टपकाता रहा....

आक्रान्त प्रभुतावश

चाहा–
हर बोध को अखंड अनावृत जीना
सत्य को
अगस्त्य के घूँट की तरह समूचा पीना
हर 'अपूर्ण' को नकार कर
द्वार से ललकार कर
भर्त्सना से
सदा ही लौटाया है
अपने भीतर
समग्र और सम्पूर्ण का
इतना अधिक दुराग्रह पाया है

0 0 0

इस आक्रान्त प्रभुतावश
यह भी नहीं जाना
लघु सत्य का शतांश भी नहीं पहिचाना–
कभी नहीं पहिचाना
समय की घड़ी क्षण-क्षण बढ़ती है
युग की कलम खण्ड-खण्ड इतिहास रचती है
किरण सदा तार-तार झरी है
जीवन ने मृत्यु को बार-बार छला और बार-बार तरा है
ओस सदा बूँद-बूँद गिरी है
दिन, रोज-रोज जिया और रोज-रोज मरा है।

सुप्तगर्भा रागों को स्वर दो

तुम्हारे प्रत्यागमन की बेला
मैं तुम्हें क्या दूँ

समय की नदी बहुत दूर चल चुकी
अस्तित्व की क्षमता बहुत गहरी ढल चुकी
नभ के कोनों में अन्चीन्हें नये रंगों का मिश्रण
दिशाओं के कानों में नये स्वर, नये स्पन्दन
सम्वेदन सार की मेरी गागर औंधी
रीत चली!

मैंने कोई काव्य नहीं रचे कि तुम्हें भेटूँ
मैंने कोई राग नहीं बाँधे जिन्हें आज दोहराऊँ
मैंने जीवन को यद्यपि नहीं जिया, मृत्यु नहीं माँगी,
तन्द्रालिप्त तो रही हूँ, किसी स्वर्णिम स्वप्न की कोर नहीं टाँकी
अस्तित्व की विवशता के ढिग,
मैंने बस शून्य जिया है
एकान्त का अनुताप भरपूर पिया है
मैं तो इक ठहरी नदी के तटस्थ बहाव-सी निःशब्द बही हूँ
निर्धूम ज्वाला के मन्द उताव-सी चुपचाप जली हूँ!

मैंने जो भी इस बीच जाना
निर्द्वन्द्व ताप की दाह से जाना
जो भी परखा

बन्धन के हर आग्रह से मुक्त होकर पहिचाना
तुम्हें भी खोकर पहिचाना
तुम से टूट कर जाना

मेरे इन 'तुम विहीन' दाह तचे, ताप मंजे
अनुभवों की भभूत तुम लो, तो लो
चाहो तो इसी क्षण, मुझे मेरे स्वत्व से खाली कर दो
मैं कोई समय का बहाव तो नहीं
कि फिर लौट कर न आऊँ।
यों ऋतुराज भी नहीं आना
स्वभावत: दोहराऊँ
मैं तो समय के हाथ में थमी, इक रागगर्भित निस्पन्द वीणा
जिसे कोई चाहे
तो छेड़े, झकोरे
छेड़े, राग भरे, व्योम में उतारे
तुम इन सुप्तगर्भा रागों को स्वर दो
तो लो
प्रत्यागमन के क्षण
मौन के अभिशाप से मुक्त कर दो
तो लो
आज मुझे
इसी क्षण
मेरे आपे से रिक्त करो, तो लो

अक्षत अनुभूत

निविड़ अंधकार
दूर सड़क पर सिर झुकाए लैंपपोस्ट का
खुली खिड़की की राह आता प्रकाश
छरहरे हो गये तम के झुटपुटे में
औचक
अरुप, अडोल
आन्दोलन का आघात

निश्चल पड़ी थी देह,
अधमूदे नयन (जागे या सोए)
–या जागने सोने के (बीच) परे
किसी अक्षत अनुभूत निधि की उजास में श्रमश्रान्त सोए?
क्या हुआ
किसी तरह कट गया तम, भीने कोहरे का जाल
झर झर झर झरना बहा
जल नहीं/आलोक ही उष्मित अवश जलधार बनकर
बहा-बहा
भीतर और भीतर/सिर से नाभि तक/नाभि से नखों तक दौड़
संचरित यह मन, यह प्रज्ञा, यह अविमल विवेक
व्यर्थ बहसों और विवादों और प्रश्नों के नोकिले दंत
व्याप्त उर्जा
व्याप्त झरना/व्याप्त विस्मय/व्याप्त उर्वरता
और आस्था/और करुणा का अपरिमित स्पर्श

कौन था वह/कौन दाता/किसका कौशल/किसने उद्गम से बहाया मुक
उच्छल हास/कौन दे गया अपने स्पर्श का चिर संचित उल्लास
किस तरह जाना
कि अब से जानूँगी स्वयं को उस अपरिमित/उस सुगन्धित/परम कृपा के
साथ
तुम्हारी अनुपम कृपा के साथ!

क्यों नहीं लेते चुनौती

तुम नहीं मानोगे/धरती आकाश के बीच
इस शून्य से पाये है मैंने सब उत्तर
वही अपनापन
जो तुम्हें दिया
नहीं तो मैं भी निष्क्रिय धरती की जड़ता में
मर गयी थी
अपने लिये
इसीलिये तुम्हारे लिये भी

मैंने, जब शून्य पहिचाना था
तो दीखा था वह मुझे याचक ही
माँगता अपना नाम, खोजता अपनी जमीन
लगा था
हम ही क्यों जीवित मर जाने के
षडयन्त्र में कैद हैं
क्यों नहीं लेते चुनौती, उठाते खड़्ग
चीर देने को यह 'न हो पाने' का संकट
हम ही न होंगे
न होगा हमारा-पन
तो कोई कुछ भी, कैसा भी किस तरह देगा/पायेगा
मरघटों पर दम तोड़ती जिजीविषा
को कौन सा उत्साह लौटा कर लायेगा
मुझे लगा था
लेने देन के सादा नुस्खों की तरह

कोरे कागज़ पर लिखा जीवन अब नहीं पचेगा
चुनौती देनी होगी समय को
अपने होश-हवास में होने की
पथरीले सन्तोष को तोड़कर नई जम़ीन के लिये
ललकते उर्वर एहसासों को साथ लेने की
और विवेक सीखना होगा–अपने अस्मिता को सहेज बचा रखने की
जिसके बिना तुम्हारी या मेरी या लेन-देन का इतिहास....
बनता, सही जमीन पर
तुमने तब नहीं सोचा था/इस रिश्ते को स्वीकार करके
हमने अपने बीच एक शून्य बाँध लिया है/जो किसी दिन
अपना नाम माँगेगा/तब तुम्हें नितांत तुम्हारे, मुझे नितान्त मेरी
अस्मिता की याद आयेगी!

वह मेरा-पन

दिया तब भी, उतना ही था
जो मेरे पास था– जितना जैसा, मेरा-पन
तुमने बिना किसी हुज्जत के उसे लिया था
क्योंकि तुम्हारे मेरे बीच रिश्ता
धरा आकाश-सा था
लेटी पड़ी होती है धरती-निष्क्रिय
आकाश फुहारे बरसाता है

देती, अब भी हूँ
उतना ही,
जितना मेरे पास है,
जीने की ऊब डूब के गणित में
समाधान-सा जो मेरे पास बचा है
कुल मेरा-पन
तुम्हें नहीं होता स्वीकार
अपनी पसोई, गढ़ोई, सिंचाई फसलों से सरोकार
क्योंकि तुम्हें धरती
चुनौती के किसी तर्क से टकराती
अचानक जागकर
खड़ी हो गयी लगती है
और उसका सर, शून्य को चीर
आकाश की सीमा को छूता लगता है
मुश्किल हो गया फुहारे बरसाना भिगोना

खड़ी फसलें पक जाने आभास/एहसास देने लगीं
कि तुमने फेर दिया फुहारों का रुख
बीच के शून्य पर
जो तुम्हारी समझ में मुझसे कहीं अच्छा है
बढ़ता नहीं, एक निस्सीम में सदियों से मुँह बाए यकसाँ खड़ा है

आकाश का कहना था

सन्तोष की पथरीली दीवार में
चाहे चुन दी जाती जिजीविषा
पर धरती को धरती रहना था
प्रियतम आकाश का कहना था

उतना भर

यों तो बहुत है
जो अर्थवान प्राणवान है
मुझे पर
उतने भर की पहिचान है
जितना
तुम्हें पाने में पाया
खोने में खोया।

घर बैठी स्त्री

चलती ही रही साथ-साथ
हारी
बदली नहीं डगर
पैरों के नीचे
एक सुरक्षित पत्थर की जरूरत ने
हर बार
लौटा दिया उपक्रम

सोचा करती अब
हे प्रभु! किस दिन
आकाश मंजूर करेगा होना छत
नदी सदानीरा
किस दिन कहेंगे पहाड़
वे पत्थर नहीं केवल
किस दिन जागेगा
किसका पुरुषार्थ
उसके निमित्त।

धुंध

धुंध
उनीदी आँख
देखती रही
जालों का
चहुँ ओर
पसरना

पाला पड़ा था
मरे
क्या केवल पत्ते!

देश का मन

विदेश की भूमि
देश का मन
जैसे सीप के हृदय में समाया हुआ मोती
अनछुआ
अनदेखा
शुभ और पवित्र

लैंपपोस्ट

कड़े कंकरीट पर
अंधेरे की ओर
आँखें खोले
पथराया बैठा
रोशनी का फूल

वहाँ भी थीं

जहाँ कोई नहीं था
वहाँ भी थीं
साँसें
भारी-भारी

चुप्पियाँ ढेर सारी

वह मुख

मन-जल अस्थिर
दीखा
अन्तर में
तब भी
वह मुख
पारदर्शी, थिर

श्वास

आती देखी (सुनी) गयी
तो उच्छ्वास
नहीं तो
वही
अरूप, अनाम
सतत चलती श्वास

गूँगी शब्द ध्वनियों को

क्षण आ रहा था
आते शब्द भी
पीछे-पीछे
गूँगी ध्वनियों के चक्रवात में से
उचक लेने को कोई मनोनीत अर्थ

आती जा रही थी कातरता
साथ-ही-साथ
जो सदा
छितरा देती है क्षण
गुड़ी मुड़ी
गूँगी शब्द ध्वनियों को
चिन्हित करने का
मेरा उपक्रम!

भीड़ नहीं बनना है।

नहीं जाना है
नहीं!
मुझे कहीं नहीं जाना है
किसी के साथ नहीं होना है

भीड़ नहीं बनना है
यहीं
इसी पथ पर
किसी गति-सक्षम क्षण की पहिचान के साथ
अपने अनायास दौड़ पड़ने की
दत्तचित्त आशा को सम्भाले हुए
चुपचाप खड़े रहना है

नहीं!
कहीं नहीं/हाँफती दौड़ नहीं
यहीं, यहीं
इसी पथ पर!

वयस्क पुत्र के नाम

मुझसे नहीं हुआ तुम्हें भूलने भूलाना
उतना वैसा दुलराना सहलाना
किताबों की बातें
किसी भी रास्ते
हाथ नहीं लगीं
मुट्ठी बन्द कर रखी थी
पानी निकल गया फिर भी
सिकता सी सरती रही,
उंगुलियों के बीच
मुँह कसैला
श्रम तुम्हें साधने का-
उदंड शैतानियों, अवज्ञाओं, पड़ोस की तोड़-फोड़
कंचों गोलियों की झीन झपट
नीदांसी आँख पुस्तकों के सम्मुख बिठाने का
मेरी रीढ़ आँचता रहा
झरते रहे मेरे अपने ही स्वप्न
गडमड होती रही स्थिरता
उंगुलियाँ टोहती रही अनथक
समय की थाह के धीरज के

युवक होकर अब अनायास
दौड़ चला आता है उसका एहसास
बन्धु आत्मीयता

खोल धर देती एकांत
समझ लेता है ठिठोली
बातों पर पहरे
दे देता सून दोपहरी की
गुनगुने स्वर गहरे
खोल लेता है बिन उचके
उन बातों की अर्गला
लहराती पड़ी रही थी मन में
कहीं अनाम बरसों—सह लेता है मुझे इतना चुपचाप
पाला नहीं मैंने, वह मेरे अंतस् से आया है
यह नन्हें से पैरों वाली पालना
अंतस् से आने वाले उत्सव का
लिखते वक्त ममता की संहिता
शब्दबद्ध किया था
और
देहरी लाँघते वक्त, मेरी मुट्‌ठी में रख दिया था
एक अमिट सत्य की तरह!

अंधेरा

अंधेरा! अंधेरा है
काला है गहरा है
जड़ अभेद्य दृष्टिहीन
जो पाता है उसे ही लील जाता है
प्रकाश अंधेरे को कहाँ
अंधेरा
प्रकाश को खाता है।

क्षेपक

तुमने एक बार मुझे
'राम' कहा था
और तुम/स्नेह-रस भीगी शबरी–
अब–
　　　　तुम समझाती हो,
　　　　अहिल्या की दयनीयता ने
　　　　मुझे 'राम' बनाया था

तुमने मुझे वासुदेव भी कहा था
कि मैंने जीवन के विष-विषाद
को वासुकि की तरह नाथ रखा था
और कहा था
　　　　तुम चिर प्रेम-वियोगिनी राधा हो
अब, समझाती हो
　　　　द्रौपदी की कातरता ने
　　　　मुझे 'कृष्ण' बनाया था

एक बार मुझे यीसू भी कह बैठी थीं–
कहा था,
　　　　मैं प्रेम करुणा संवेदना का देवता हूँ
　　　　तुम समर्पित विह्वल प्रेम रस भोर
　　　　देव-विरहिणी!
अब कहती हो,

चरवाहे की कन्या के दैन्य ने
मुझे यीसू बनाया था–
जो कहा था, मान भी बैठा था
पशु से नर
नर से देवता
बनने में, वर्तन में
सब समर्थ लगा
तुम्हारे कहने की लाज बचाने में
अपने को तोड़ बैठा था
लेकिन
तुम तब दयनीय नहीं थीं
हाँ–अब हो-निश्चय ही
दया की पात्र
खोए पथ की थकी यात्रिका!
अपने ही माप की
नाप की
धरती रच, कहती हो, यही वसुन्धरा है
परिवर्तित मूल्यों का आकाश
जन कर कहती हो
यही सौर-ब्रह्माण्ड है
अपने ही भ्रमित सन्तोषों के हित
मन में बहुत कुछ
संदिग्ध सत्य
अतिथिगृह में बसा रखे हैं
(आतिथ्य के अभिन्न के साथ)
हमारे अपने
दोनों के,
समान,
माने हुए, भोगे हुए–
सत्य, मूल्य
समर्पण, वचन
सब क्षेपक में डाल रखे हैं

श्रेय का लोभ

किसी विशिष्ट क्षण की कल्पना
तुम्हारी थी
यह तथ्य तुम्हें
उस बोध की सार्थकता से संलग्न नहीं करता
न ही मुझे
उसके उत्तरदायित्व से मुक्त करता है

सच पूछो तो
जितना विशिष्ट है
वह अपनी अन्तर्हित प्रखरता से जागता
और उदभासित होता है
उसे, मैं और तुम
एक निरपेक्ष अखंडित
प्रेरणापुंज क्यों न रहने दें

श्रेय के लोभ में
उसे हड़पने का मोह छोड़ें
आलोक स्तम्भ के पार्श्व में
छायाओं की तरह खड़े रहने की
अटूट मजबूरी
और
जुड़े रहने का कायर हठ
दोनों छोड़े

बुद्धिवाद

दृष्टि द्वार पर अड़े आँसू
भरसक लौटाती हूँ
लड़ती हूँ
व्यथाएँ निशब्द दी जाना चाहती हूँ
और नकारती हूँ- घिनौनी दयनीयता ढोना
टकराहटों से टूटना
चूर-चूर होना
तब–
शायद मैं 'महत' होने का दम्भ करती हूँ
और आहत करती हूँ उनको
जिनके सम्मुख मेरा भावना-प्रधान असंतुलित व्यक्तित्व
अब तक, कण-कण बिखरता आया है
और वह मेरी कुंठित प्रज्ञा को
सदा, मेरा आया लौटाते आये हैं
समेटते आये हैं, सँवारते आये हैं
बुद्धि की भावना के हाथों
बिक जाने से बचाते आये हैं

मनुहार से अतिरिक्त दुलार से
'उद्धव-शतक' पढ़ाते आये हैं।

बदला बस माध्यम

यथावत–
भुज दिशाओं में बँधा आकाश
आतुर उन्मुख धरती
आन्दोलित सागर
आलोकित विस्तार
–स्निग्ध सम्बल
प्रीति-प्रखर बन्धन
श्वास-श्वास अर्पित
पोर-पोर पावन
बदला बस माध्यम
जानने का
पहिचानने का–
सुख था, दुख है
चाह थी, दाह है

यह जीवन

अनन्त प्रवाह में
प्राचीर-सा उठकर
लकीर खींचने का यत्न
यह जीवन!

0 0 0

समय की अटूट चिरता को
वर्षों में, दिनों में
सप्ताहों, क्षणों में
बाँधने का यत्न
यह जीवन!

चौकन्नी दिशाएँ

सब डूब गया है
सब ठहर गया है
चौकन्नी दिशाएँ
रुदन का शोर भरती हैं
सन्नाटे के कान में
मन के श्मशान में

दिल की तंगदस्ती

कितनी छोटी हो गयी है दुनियाँ
जब से दिल की तंगदस्ती ने
मन में पनाह ली।

चरैवेति-चरैवेति

मेरी आस्था
कहीं पहुँचने की नहीं
चलते होने का आभास!

0

मेरी इच्छा
परिणाम में नहीं
कर्म में हुए होने का विश्वास!

0

मेरी क्षमता
एक पग अपने आगे का
नहीं पूरा आकाश!

सागर को बाँधोगे

सागर को बाँधोगे?
वह
वह भी नहीं देगा
सीपी-शंख
मोती-मरकत
लहरों का लीया हुआ
समतल करुणा का
रससिंचा सिकता-तट
नहीं मिल पायेगा
कुछ भी
आवाह्न
बौराई समीर के आंचल का
अवगाहन
लहरें तोड़ डालेंगी
तुम्हारे खड़े होने का बल!

अर्थों के उजाले

सुरंग के अंत में जरुर मिलेगा प्रकाश
पता नहीं था
आशा के विरुद्ध भी शुरु हो सकती है
दूसरी सुरंग
जिसका पता ही न हो
कि इतना सटकर मिलेगी
उतनी ही लंबी, लेटी
अपाट

कितना भ्रामक है ज्ञान
प्रकाश की आशा के अतिरिक्त भी हो सकती है
सुरंग के बाद सुरंग
अंधेरे के बाद फिर नया अंधेरा
धीरज के थक चुकने का भी लग सकता है पैरों को आघात
कुछ भी हो सकता है
कुछ न होने की आशा के बाद

सच क्या यह होगा
कि कुछ भी होता नहीं सच
हर गर्भ के गिर्द घूमती अनवरत मूक ललकार–
आओ, देखो, खोजो, पाओ
अर्थों के उजाले से अटा पड़ा हो सकता है ब्रह्माण्ड!

कैदी

ऊपर-नीचे/दायें-बायें/ठण्डे रंग की दीवारें
इस करवट ऊब/उस करवट दाह
सीधे सीखचों में आहत चौखटा भर आकाश
टन्न घड़ियाल
ठ्क-ठ्क-ठ्क चौकीदार
जेलर के पुलकित ठहाकों की असम आवाज
पसारे पैर से ठिलती टीन के भांड़ों की टिन मिन
कानों में ढुलकता चला आ रहा मन

अल्लसुबह
चौखटों पर छापे मारती
रोशनी के साये में
नाखूनों से खुदी
पाषाणी दीवारों पर घटती एक लकीर
उफ़्फ़.... बस एक ही लकीर
दिन
और दोपहर
और शाम
और कुछ कम रात
और रात के बोझ से लचकती/भी चुकी
बस एक दिन की जागीर

''कैसे.... कैसे

घटेगा
इन दोपहरियों के कंधों पर खड़ा
किऽऽतने
तीन सौ पैंसठियों का लंबा अछोर हिसाब
चौदह साल!

लऽऽम्बी रातें
लऽऽम्बे दिन
निष्कवच अंधेरे की मलगुझी गठरियों में से
खुलते आ रहे कैसे इतने दिन!

एक जम्हाई! होठों पर हथेली के बिना-फूहड़
दाँतों की दाँतों तले चबाई जाती किटकिट
नीचे से भी नीचे
अंतलातों को ढकते कठोर फ़र्श
तलुवों के तले,
कोठरी भर पथराती सीलन!

एक हाथ, नहीं
कर्री त्वचा वाली उंगुली
अभी-अभी
आँख की कीच से हुई निवृत

पैर पर
पैर के तलुवे की
बार-बार छुअन

लटके लक्कड़-सी बाँह
कोहनी के आगे
अलग-अलग

नखों के तले के मांस का
पीले वहशी दाँतों से छिलना
रोयों की नोक पर सिहरता
खुरदरा बेलाग स्पर्श
खोखियाती खुजली के
पसरने का
दबा घुटा षड़यन्त्र

इठलाती, बाहर से आती
मक्खी की
सीखचे से झरती रोशनी में नाचते
धूलिकणों से खिलवाड़
संडास की कोने में उठुंग
अभ्यस्त खड़ी बदबू
पथरीला तकिया
खोखल गूंज-सी डकार
पेट पर पसरता यूँ ही सा हाथ

एक कोई याद
पश्चाताप
नथुनों को साँठ-गाँठ जाता
उत्तेजक आवेश
अढील मुट्ठियाँ
गोदी की गुड़ी-मुड़ी सीलन में
फिर
गिर पड़ते हाथ
उत्पीड़ित! श्रान्त!
उत्क्रांत शून्य
शून्य....
शून्य....

यह दोहराव
आता आता
ले जाता जाता रहेगा
वह–
वह–
वह जिसे तुमने कहा था
हन्यते

चूता चूता
औंधा हो जायेगा घड़ा
ठुकराने को
संतरी की ढीठ धृष्ठ हँसी का
खिलवाड़ बना
नहीं कुछ रहुँगा मैं
नहीं दीखोगे तुम
नहीं कहीं/समय की पसलियों को खखोलती चाह के हाथ
नहीं कहीं-
थाली को छूते भुंज हुई शिराओं के ठडें छोर
नहीं कहीं-
किसी पिराते रुदन की भटकैया खींच
नहीं कहीं दिन
नहीं कहीं रात/एक
नहीं कहीं सीखचों में कटा आकाश
नहीं कहीं धूप को न्योतती बांग
नहीं कहीं तुम
नहीं कहीं वे
नहीं कहीं मेखला जड़े बूटों की/कटखनी आवाज़
नहीं कुछ कुछ
नहीं कहीं...
नहीं
नहीं कहीं
कुऽछ

बेचैनी

जब तुम नारे लगा रहे थे
सोच नहीं रहे थे
पशु थे

पशु खूंद देता है धरती को
पंजों से
किस तलाश में–
पानी है
भोजन
या खूंदने की बेचैनी?

क्या हुआ

क्या हुआ यदि
ठान चुके हो
डाल दोगे अस्त्र

काम चल जायेगा
आँखों की नोकों से
नथुनों से
भवों के बीच चटक आयी
चुटकी के कौशल से

प्रतीक्षा पत्र की

दबे पाँव/एक गूँज
अनायास
बिछती चली गयी
मन में!
....
चंदोबा आकाश
सात समन्दर पार
प्रतीक्षा पत्र की....!